D0296294

hond in huis (AVI 1)

mol in de klas (AVI 1)

spook in de tuin (AVI 1)

opa zoekt een huis (AVI 2)

alles is zoek (AVI 2)

naar het zwembad (AVI 2)

Actuele informatie over Kluitmanboeken kun je vinden op www.kluitman.nl

naar het zwembad

marian van gog

tekeningen

saskia halfmouw

Boeken met dit vignet zijn op niveaubepaling
geregistreerd en gecontroleerd door
KPC Groep te 's-Hertogenbosch.

Nur 287/L090701

Omslagontwerp: Design Team Kluitman

www.kluitman.nl

„wat een rij,” zucht brit.
„er komt geen eind aan!” roept bas.
bas en brit zijn vrij van school.
ze gaan naar het zwembad.
het is heel druk.
„het duurt zo lang,” zegt bas.
„we staan hier al een uur,” zeurt brit.
mam lacht.
„nou, nou,” zegt ze.
„dat valt heus wel mee.”

jef en els staan vooraan.
„kom," zegt bas.
„we gaan naar ze toe."
„mag dat?" vraagt brit.
„van mij wel," zegt mam.
„kom jij ook?" vraagt brit.
„nee," zegt mam.
„ik blijf in de rij staan."

nu zijn ze snel aan de beurt.
maar mam staat nog in de rij.
brit wenkt.
„kom ook," zegt ze.
mam schudt haar hoofd.
„dat kan niet, hoor," zegt ze.
„gaan jullie maar vast," zegt els.
„ik wacht wel."

jef trekt bas mee.
„kom je mee in een hokje?"
bas kijkt naar brit.
„en jij dan?" vraagt hij.
brit schudt haar hoofd.
„ik wil zelf een hokje," zegt ze.

daar is mam ook.
„zijn jullie klaar?” vraagt ze.
„wij wel,” zegt bas.
„ik ook,” zegt brit.
„hier,” zegt mam.
„een munt voor een kluisje.”
brit loopt vooruit.
met haar tas en de munt.

bas, brit en jef gaan naar het bad.
„kijk,” zegt brit.
er ligt iets op de vloer.
bas bukt en pakt het op.
het is een mapje.
er zit geld in, en pasjes.

bas kijkt om zich heen.
op de bank zit een vrouw.
„is dit van u?” vraagt hij.
de vrouw schudt haar hoofd.
„nee hoor,” zegt ze.

brit en jef gaan het bad al in.
„kom je ook?" roept jef.
maar bas heeft het mapje nog.
hij kijkt er naar.
zal hij naar de kassa gaan?
bas heeft er niet veel zin in.
hij legt het mapje op de bank.
„ik doe het zo wel," zegt hij.
„goed hoor," zegt de vrouw.
„ik let er wel op."

bas duikt van de kant.
jef heeft een bal.
die gooit hij naar bas en brit.
„vang!" roept hij.
„kom," zegt brit.
„we gaan van de glijbaan."
de glijbaan is lekker lang.
en heel steil.
bas gaat het eerst.
hij glijdt op zijn rug.
brit glijdt op haar buik.
jef gaat met zijn hoofd omlaag.
het is leuk.
bas denkt niet meer aan het mapje.
brit en jef ook niet.

de glijbaan is leuk.
maar je krijgt er wel trek van.
brits maag knort.
„ik lust wel wat,” zegt ze.
„ik ook,” roept bas.
ze gaan naar de kant.

„mam, mag ik ijs?” roept bas nu ook.
„ijs?” vraagt mam.
„eerst naar het zwembad,
en dan ook nog ijs.
dat wordt te gek, hoor.
neem maar een broodje!”

„ik haal mijn handdoek,” zegt brit.
bas en jef gaan mee.

de vrouw op de bank is weg.
het mapje ook.
„o ja,” zegt bas.
„ik zou naar de kassa gaan.”
„dat deed die vrouw vast al,” zegt jef.
„nee,” zegt brit.
ze wijst naar de vloer.
„kijk maar.”

bas pakt het mapje op.
„wat nu?" vraagt jef.
„naar de kassa," zegt bas.
„maar dat is zo ver," zeurt jef.
„daar heb ik geen zin in.
ga maar naar de badjuf.
die lost het wel op."

bas loopt naar de badjuf.
maar die heeft geen tijd voor bas.
ze praat met een man.
het duurt heel lang.

bas wacht en wacht.

dan loopt de man weg.

de badjuf kijkt naar bas.

„wat is er?” vraagt ze.

„ik heb iets,” zegt bas.

hij laat het mapje zien.

„hoe kom je daar aan?” vraagt de badjuf.

„het lag op de vloer,” zegt bas.

„dus het is niet van jou?” vraagt ze.

„nee,” zegt bas.

„nou, waar wacht je op?” zegt de badjuf.

„breng maar naar de kassa.”

brit zucht.
„nu wil ik eerst mijn handdoek!
ik krijg het koud.”
ze loopt door naar de kluisjes.
bas en jef gaan mee.

dan gaan ze naar de kassa.
„het is wel ver,” zeurt jef weer.
daar ziet hij een man.
de man dweilt de vloer.
jef loopt naar hem toe.
„hallo,” zegt hij.
„dit vond ik.”
hij laat het mapje zien.
„fijn voor je,” zegt de man.
„geeft u het af bij de kassa?” vraagt jef.
de man kijkt hem raar aan.
„kun je dat zelf niet?” vraagt hij.

jef baalt.
wat is het ver.
en wat is het druk in de gang.
dat schiet niet op!
dan krijgt jef een plan.
hij stapt naar een man toe.
„is dit van u?” vraagt hij.
„wat slim,” zegt brit.
ze loopt naar een vrouw.
„bent u dit soms kwijt?”
ook bas stapt op een man af.
maar het mapje is van niemand.

„zo lukt het niet,” zegt bas.
„kijk er eens in,” vraagt jef.
„dat mag toch niet,” vindt brit.
„heus wel,” zegt jef.
„wie weet, zit er een foto in.
dan zie je van wie het is.”
bas kijkt in het mapje.
hij ziet geld en pasjes.
dan ziet hij nog iets!
blij trekt hij het er uit.

een man loopt naar hen toe.
„hé!" roept hij.
„jij vond toch een mapje?
geef maar hier.
dat is van mij."

„hier," zegt bas.
„fijn dat je het nu weer hebt."
„heel fijn," zegt de man.
hij lacht er raar bij.
brit kijkt hem lang aan.
„is het echt van jou?" vraagt ze.
de man knikt.

brit pakt het mapje weer af.
„wie staat daar dan op?" vraagt ze.
brit wijst naar de foto die bas heeft.
de man denkt na.
„dat, eh...
dat is mijn zus," zegt hij dan.
„je zus?" vraagt brit.
„blaft jouw zus soms?"

de man loopt snel weg.
„en nou ben ik het zat!” roept brit.
„we gaan naar de kassa.
punt uit.
daar geef ik het mapje af!”
ze kijkt jef boos aan.
„en als jij het te ver vindt,
dan blijf je maar hier.”
brit draait zich om en loopt weg.
bas loopt mee.
„wacht!” roept jef.
hij gaat ook mee.

maar bij de kassa is niemand.
nou ja, niemand...

„jullie weer?" zegt de man.
hij kijkt niet erg blij.
„er is niemand," zegt hij.
„ik wacht al heel lang."
„o," zegt brit.
„kom," zegt bas.
„we gaan weer weg."
„ja," zegt jef.
„straks kan het ook."
maar daar is al iemand.
het is het meisje van de kassa.

„ik ben iets kwijt," zegt de man.
„een mapje met geld.
en met pasjes."
het meisje pakt een papier.
dat geeft ze aan de man.
„vul dit maar in," zegt ze.
„moet dat?" vraagt de man.
het meisje knikt.
„ja, dat moet."
brit kijkt naar de man.
en dan naar bas en jef.

„ja!” zegt de man blij.
„hoe kom jij daar aan?”
„het lag op de vloer,” zegt brit.
„bij een bank,” zegt bas.
„in het zwembad,” zegt jef.
„wat fijn!” zegt de man.
hij pakt het mapje aan.
snel kijkt hij er in.
„het geld is er nog, hoor,” zegt bas.
maar daar kijkt de man niet naar.

„wie is die hond?” vraagt brit.
„dat is een lang verhaal,” zegt de man.
„ik had ooit een hond, joep.
maar joep werd erg groot.
ik woon in een flat.
dus dat ging niet goed.

joep ging naar mijn broer.
die woont in een ver land.
leuk voor joep.
maar pech voor mij.
ik zie joep niet vaak meer.
dus heb ik die foto bij me.
ik dacht al dat ik hem kwijt was!”

de man lacht.
„maar nu heb ik joep weer!
dat is echt top.
is het goed dat ik jullie wat geef?
als dank?"
„dat hoeft niet, hoor," zegt brit.
maar jef stoot haar aan.
„zeg dat nou niet," zegt hij zacht.
de man lacht weer.
„wat wil je?" vraagt hij.
„nou..." zegt bas.
„ik weet wel iets!"

bas, brit en jef gaan terug.
elk met een ijsje.
„wat is dat nou?" vraagt mam.
„dat is nou ijs," zegt bas.
mam schiet in de lach.
„dat zie ik," zegt ze.
„maar hoe kom jij er aan?"
„dat kreeg ik," zegt bas.
„wij ook," zegt jef.
„waarom?" vraagt els.
„zomaar," zegt jef.
„zomaar?" vraagt mam.
„dat is een lang verhaal..." zucht brit.
en ze neemt nog een lik.